郑栗儿/著

林宗贤/绘

大师密码 A-Z系列

大师密码X

我不是小丑!

人民东方出版传媒
People's Oriental Publishing & Media
東方出版社
The Oriental Press

图书在版编目（CIP）数据

大师密码. X, 我不是小丑！/郑栗儿著；林宗贤绘. —北京：东方出版社，2015.11
ISBN 978-7-5060-8748-3

Ⅰ. ①大… Ⅱ. ①郑… ②林… Ⅲ. ①儿童故事—作品集—中国—当代 Ⅳ. ① I287.5

中国版本图书馆 CIP 数据核字（2015）第 268213 号

大师密码 X：我不是小丑！
（DASHI MIMA X: WO BUSHI XIAOCHOU！）

作　　者：郑栗儿
绘　　者：林宗贤
产品经理：张媛媛
责任编辑：张媛媛
出　　版：东方出版社
发　　行：人民东方出版传媒有限公司
地　　址：北京市东城区朝阳门内大街 166 号
邮政编码：100706
印　　刷：小森印刷（北京）有限公司
版　　次：2016 年 3 月第 1 版
印　　次：2016 年 3 月第 1 次印刷
印　　数：1—5 000 册
开　　本：720 毫米 ×950 毫米 1/16
印　　张：4.75
字　　数：45 千字
书　　号：ISBN 978-7-5060-8748-3
定　　价：18.00 元
发行电话：（010）64258117 64258115 64258112

目 录

出版前言

每个父母都希望孩子未来能出类拔萃，并在孩子的教育问题上倾尽心力。

许多孩子长大后成熟乐观，在社会上如鱼得水，但不少人成年后并不快乐。他们即使地位显赫、经济条件优越，依然郁郁寡欢。带来快乐的因素有很多，其中起决定作用的则是人格。面对同样的问题，不同的人格往往造就不同的结果。

怎样才能培养健全的人格？我们不妨到传统文化中去寻找答案。几千年来，儒、道、佛相得益彰，共同塑造着国人的精神世界。儒家关切社会的治理，道家关怀生命自然状态的保持，而佛家则关心人生痛苦的解除。故此，历史上就有“儒家治世、道家治身、佛家治心”的说法。

今天很多人习惯于将佛教简单理解为一种宗教，有的人甚至认为它是封建迷信。如果去掉宗教的外衣，它其实是一座充满智慧，兼具心理、品德教育功能的文化宝库。

为此，我们从台湾引进了这套“大师密码”A–Z 系列。这套书以 130 个佛教大师的成长故事，体现了 130 个美好的人格特质。沉着、孝顺、无畏、远见……从这些有趣的故事里，孩子们不但可以学会如何获得成功，更能明白如何倾听内心的声音，获得快乐。

这套书结构编排巧妙，集合了台湾优秀的作家及插画师。书中故事生动活泼，插画精美，在台湾广受好评，曾获得台湾“第 27 次中小学生优良课外读物推介”。相信它同样会得到大陆青少年朋友的喜爱。

大师的密码　成功的特质

在我还是青少年时，就很喜欢阅读佛教大师的传记故事。可以说，我的人格就是从阅读大师的史传故事，点点滴滴建立起来的。

不论大人、小孩都喜欢读故事，法鼓文化历时两年的筹备，制作了这套有丰富精美插画的“大师密码”A–Z系列。这套书中，选出130个“大师的美好特质”，一个特质就是一个大师故事，让孩子在趣味的故事中自然吸收大师的养分。

我曾指出佛教的高僧必须具有四大条件：持戒清净、修行精进、慈悲济众与护持佛法；如果转换成现代人的语汇，就是自律、认真、宽大、懂得回馈，而这些正是所有成功人士必备的条件。

很多家长以为孩子学佛会变得消极、不具竞争力；如果从大师的四大条件来看，这样的想法完全错误！孩子接触佛法绝对会更积极、健康，能为他们的一生奠定稳固的基础。

大师们的成就绝非偶然，也没有人一出生就是大师，父母应该提供这样的环境，让人格正在成长形塑中的孩子，吸收历代大师们的生命菁华，转化为他们自己的。我相信这一套“大师密码”A–Z系列，能够成为孩子们成长的助缘！

聖嚴

台湾法鼓山禅修文教体系创办人

荒山变宝山了!

大师密码

Excellence 卓越

如果有机会能当森林之王，一声号令让百兽齐鸣，应该会很威风！但中国唐朝的灵祐禅师独自前往无人的沩山，却是冒着被毒蛇猛兽攻击的危险，一点也不轻松好玩。

依照推荐灵祐禅师去沩山接任住持的司马的说法，沩山是一个可容一千五百多人的大道场，让灵祐误以为等着他的工作是管理多达一千五百人的大寺院，想不到沩山竟然是座大荒山，不要说没房子，连煮顿饭都没办法，只能靠捡拾野果果腹。

看似上了司马的当，但十五岁就在建善寺出家的灵祐，不但聪慧，性格更是坚毅，明明是无人荒山，在他不放弃的努力与德行感召下，竟然让闻风慕名来的修行者，真的多达一千五百人，后来他还创建了沩仰宗。

小档案　灵祐

- 国籍：中国
- 谥号：大圆禅师
- 专长：禅修
- 影响：禅宗的沩仰宗初祖
- 事迹：将无人荒山建成大道场

天晚了，管厨房的灵祐，看看该洗的碗筷都洗好了，一个个干干净净的，把它们放在专属的位置上。炉子的火也已经熄灭，灵祐很满意地打了一个呵欠，准备回房睡觉，这样隔天一大清早才能准时起床，起火生灶，烧煮一顿让人充满活力的营养早餐，令大家一天有一个美好的开始。

师父百丈禅师不知何时站在灵祐身后，突然问他一句："炉子的火熄了吗？"

灵祐点头说："熄了！师父。"

百丈禅师却拿了一根木条，递给他："你拨弄看看！"

灵祐接过了木条，在炉子下方的木炭里拨弄两下，回说："熄啦！师父。"

百丈禅师拿回木条，亲自去拨，往炉子最深的底部拨去，木炭居然还有一些残留的火星，百丈禅师便问灵祐："你说火熄了，那这是什么呢？"

一般人被师父这样当场责问，大概会窘得说不出话来，灵祐却开心地笑说："师父，我懂了！"

百丈禅师反问："你懂什么？"

灵祐直爽地回答："虽然我们每一个人都具有成佛的可能性，却像这炉火一样，容易被表面的幻象所遮掩，误以为它不存在。炉子浅拨无火，必须深拨才能看见火星，所以做任何事也是如此，要持续努力，才能求得智慧，表面看到的未必准确，必须亲自实践，才能察觉真相。"

知道徒弟明白了自己的用意，百丈禅师满意地点点头。

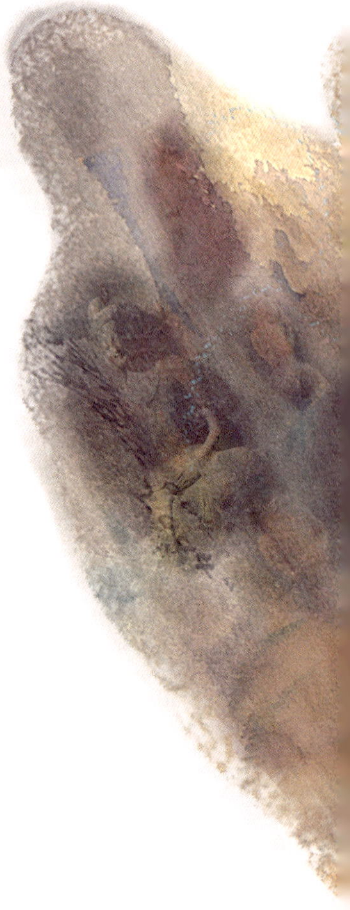

有一天，从湖南来了一位司马苦行僧，专程拜访百丈禅师，谈起他最近的经历：“我跑遍了整个湖南，寻到一座非常奇特的沩山，这山很有灵性，能容纳一千五百位善知识❶修行，但是需要一位住持❷先去兴建道场❸。”

百丈禅师开玩笑地问：“这么神奇，那我可以去吗？”

司马知道百丈禅师不可能去，笑说：“您哪里需要亲自去呢？不过您的弟子中，倒是有人可以胜任。”

百丈禅师一听，立刻把首座❹华林叫来，请司马过目，司马却面无表情，只咳了一声，来回踱步，回说：“不是他！”

❶ **善知识**：能教导人去恶向善，修学佛法，正直有美德的人。

❷ **住持**：原意为久住护持佛法，后来指掌管一寺的主僧。

❸ **道场**：泛指寺院。原为佛陀在菩提树下金刚座上的成道处，后来用以指称修行佛道的地方。

❹ **首座**：即上座的意思，为僧团大众之首。必是由为众人信服、德行兼备的法师担当。

百丈禅师心里有数，又把管厨房的典座❺灵祐唤来，司马一见到灵祐就点头说："就是他了！"

但自以为是百丈禅师最优秀弟子的华林却不服气，跟师父抱怨："我既然是全寺排名第一的首座，为什么不请我去当住持，而叫典座去呢？"

百丈禅师便说："好吧！你们谁能回答我的问题，谁就去沩山当住持。"接着，百丈禅师指着一旁的净瓶，问："如果这个不叫净瓶，要叫它什么呢？"

华林抢先回答："绝对不能叫它木楂。"他以为这个答案很巧妙。

❺ **典座**：为负责寺院大众伙食者的职称。

百丈禅师又问灵祐："灵祐，你说吧！"

灵祐二话不说，抬起脚把净瓶踢倒，人就走了！

百丈禅师看着满地的碎瓶片，大乐地说："好啊！这净瓶如果不是净瓶，留它干什么呢？"

司马也笑说："首座还是输给了典座！"

于是，隔天灵祐就被百丈禅师派去沩山当住持，临行前百丈禅师勉励他说："你是我弟子中才能最卓越突出的，我却让你去管厨房，目的是要磨炼你的心志，现在是你施展才能的时候了，你的缘分在沩山，不管去那里有多艰难，一定要坚持下去。"

怀着师父的期许，灵祐独自来到沩山，只见遍野荒山，渺无人烟，只有野兽到处乱窜，才上山第一天他就被树上一条蟒蛇给吓到了，更别提霸占整个山头的老虎、狼群和猿猴了。

灵祐暗自苦笑说：“一般人都不敢上山了，哪来一千五百名善知识一起修行呢？”

但灵祐也不绝望，找棵大树，把树下当成打坐的栖所，饿了就捡拾果实吃，一心等待有缘人和他一起修行。就这样过了五六年后，整座沩山还是只有他一个人和一群野兽，没有任何人上山来。

灵祐心想：“我是来当住持，利益众生的，既然没有人愿意上山，我成天打坐也不是办法，不如离去好了！”

于是，他便舍弃了居住多年的草庵，准备走人了，走到山口时，没想到山上所有的野兽都堵在路口。每一只动物都瞪大眼睛看着他，似乎舍不得灵祐离开。

灵祐没办法，只好对动物们说：“你们不要阻拦我的去路，我如果真的和这座山有缘，你们便各自散去，否则就别动，等我走过去，把我吃了吧！”

灵祐的话才说完，野兽们竟然一只只掉头就走。就这样，灵祐又回到自己的草庵，安心地待着。

不到一年，懒安带着好几个僧人，从百丈禅师那里过来，一起帮助灵祐修建道场。

慢慢地，来投靠的僧人逐渐增多了，山下的居民，都知道山上有一位特别的师父，连裴休等名人雅士也慕名而来，到后来真的累积到一千五百位僧人，一起在此修行，这时的灵祐早已是位得道的高僧了，但他还是保持像以前当典座管厨房时的认真态度。

弟子石霜跟随灵祐在沩山参学已经多年了，专门负责米头[6]的工作，把收成的稻谷，脱壳碾成白米。

有一天，石霜正在筛米，灵祐正好经过，叮嘱他说：“要小心啊！可不要把上天赐予的食物乱撒啊！”

石霜回说：“师父，我会注意的，不会随便乱撒。”

❻ **米头**：为负责寺院米粮者的职称，又称谷头。

没想到眼尖的灵祐发现地上的角落里，有一粒石霜不小心掉出来的米粒，他顺手把它捡起来，对石霜摇头说："你可不要小看这一粒米，成百上千粒的米，都是从这一粒米而出来的。所有的佛法，也是从这粒米而来的。"灵祐说完，将米粒放进米桶里。石霜得到师父的警示后，更加小心翼翼地做事，丝毫不敢怠慢。

灵祐在沩山大兴禅风，后来传法给弟子仰山，世称沩仰宗，成为当时轰动天下的禅学主流。灵祐的卓越才能，不但赢得百丈禅师的赏识，甚至连野兽们也知道要留住他，把荒山变成宝山，创造了沩山的传奇。

智退野狐精

大师密码 Expressive 善于表达

狡猾奸诈的人，往往比真的狐狸精更可怕，也更讨人厌。但在诡计被拆穿前，大家几乎都会被骗子天花乱坠的言语骗得团团转，信以为真。中国唐朝的慧忠禅师是骗人狐狸精的大克星，三言两语就能以禅法智慧，让骗子们原形毕露并逃之夭夭。

慧忠禅师是禅宗六祖惠能大师门下的高才生，曾经四方游历天下名山，后来到了南阳白崖山党子谷，便在此禅修四十年不下山。虽然他足不出山，但是登门参学者却络绎不绝。连唐玄宗、肃宗、代宗三代帝王，都仰慕他的风范，将他迎请到长安，礼遇有加。

慧忠禅师生性淡泊名利，不像一些假冒修行者，想以骗术得到帝王宠信，他后来归隐党子谷终老，因此世称“南阳慧忠”或“南阳国师”。

小档案 慧忠

- 国籍：中国
- 别称：南阳慧忠、南阳国师
- 专长：禅修
- 影响：力扬禅宗六祖惠能禅法
- 事迹：帮唐肃宗智破邪魔歪道的幻术

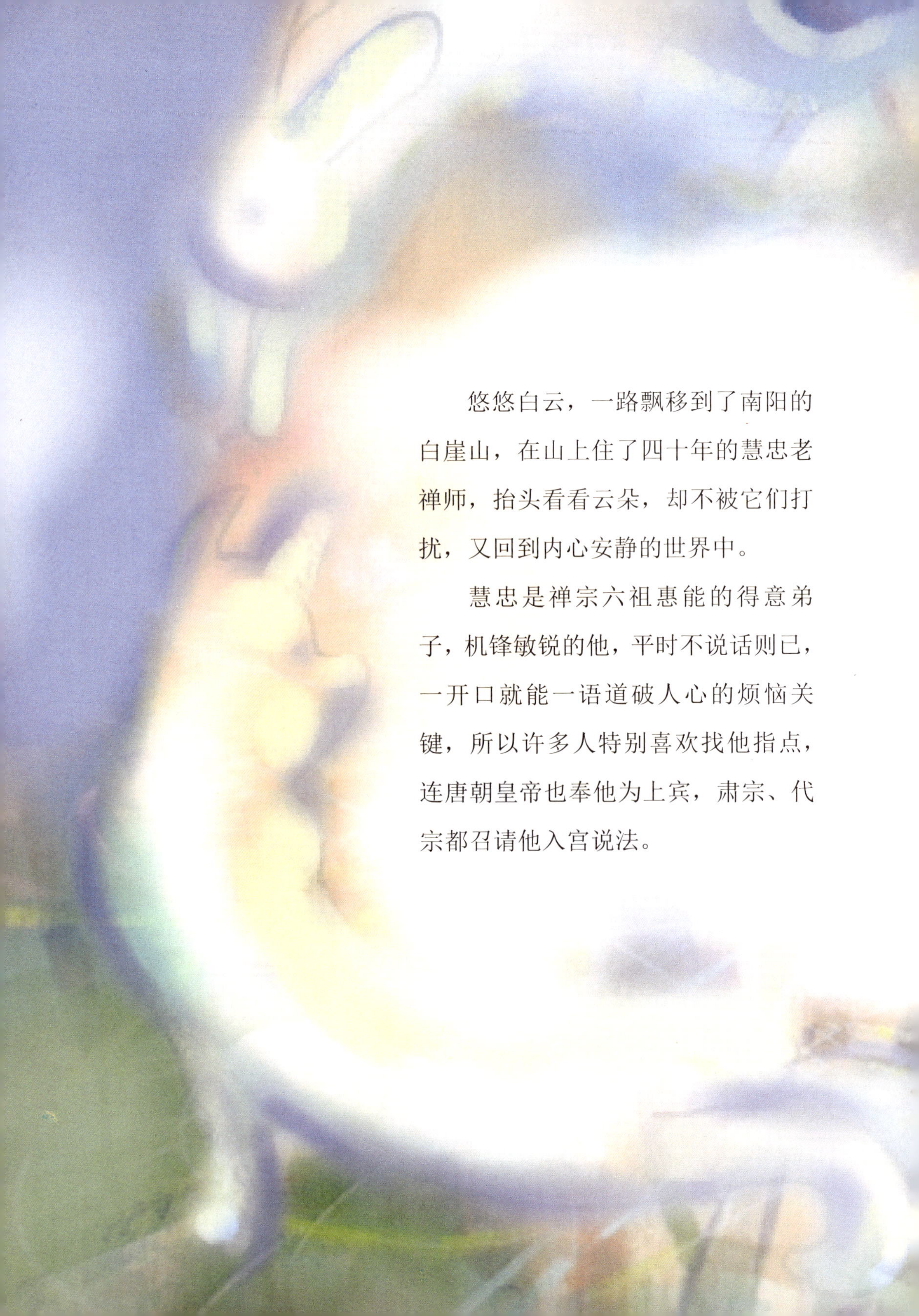

悠悠白云，一路飘移到了南阳的白崖山，在山上住了四十年的慧忠老禅师，抬头看看云朵，却不被它们打扰，又回到内心安静的世界中。

慧忠是禅宗六祖惠能的得意弟子，机锋敏锐的他，平时不说话则已，一开口就能一语道破人心的烦恼关键，所以许多人特别喜欢找他指点，连唐朝皇帝也奉他为上宾，肃宗、代宗都召请他入宫说法。

平时不轻易出门的慧忠禅师，受到唐肃宗的邀请，专程来皇宫举办盛大的祈福法会❶。

法会还没开始，肃宗便迫不及待地亲临法会现场，一见到慧忠禅师，立刻问了许多佛法的问题，没想到慧忠禅师高坐在法会的法座上，一句话都不回，仍旧闭着眼睛禅坐。

自讨没趣的肃宗很不高兴地说："我可是当今的皇帝，你怎敢如此大胆？问你话都不答，连看也不看我一眼！"

慧忠禅师听后，缓缓睁开眼，静静地看着肃宗，问了一个毫不相干的问题："皇上，您看过天空吗？"

肃宗没好气地回答："天空谁没见过！"

❶ **法会**：又称法事、佛事。是一种佛教仪式，为说法、供佛、施僧所举行的集会。

慧忠禅师语气平和地反问他：“您可曾见过天空在对您眨眼睛吗？”

肃宗当场愣在那里，答不出话来，对慧忠禅师的修行境界更感到好奇：“请问您究竟达到什么样的佛法境界了呢？”

慧忠禅师又反问肃宗：“皇上见过天空中的云朵吗？”

肃宗不假思索地回说：“见过呀！”心想：“难道佛法的最高境界就跟那片云一样，自由自在、无牵无挂吗？”

慧忠禅师却说：“皇上已经把那片云钉在心上，悬挂起来了！”意思是，佛法的最高境界是心中连一朵云都没有，如果执着于要像云一样自由自在，反而会变成修行的障碍，而不是真正的自由自在。

肃宗皇帝虽然不明白慧忠禅师所说的真意，但打从心底完全信服了这位老禅师。

后来，不知从哪里冒出一位自称“西天大耳三藏”的人，说他有神通❷，可以洞悉别人的心思，知道对方在想什么，肃宗特地请慧忠禅师去测试一下，看那位自称“西天大耳三藏”的人所说的是真还是假。

这位大耳朵、皮肤黝黑的大耳三藏，一看就是那种来中国招摇撞骗的外国术士，慧忠禅师二话不说，直接就问他：“你说，我的心现在在哪里？”

大耳三藏看了看慧忠禅师，回答：“师父的心正在四川看人比赛划船。”

❷ **神通**：修学禅定可得自在无碍、不可思议的力量。神通可分为共外道都可修得的神足、天眼、天耳、他心、宿命五神通，再加上佛教独有的漏尽通，共为六神通。

慧忠禅师微微一笑，仍问他："那现在我的心又在哪里？"

大耳三藏小心翼翼，仔细地瞧着老禅师好一会儿："师父的心现在跑到天津桥上，看人耍杂技。"

慧忠禅师又笑了一下，再问他："那现在呢？"

这回，大耳三藏观察了很久，始终闷不吭声，因为他看不出此刻没有任何心念的慧忠禅师，他的心跑去了哪里！

慧忠禅师大喝一声，说："你这个野狐精，你的神通有什么用？可以帮助你超越生死吗？"一句话说得大耳三藏羞愧不已，落荒而逃。

唐代宗即位后，被尊为国师的慧忠，一样深得皇帝的信任。

有一天，代宗听说有一位自称一代奇人的太白山人，上知天文，下知地理，而且算命算得奇准无比，便特地召见他，还安排他和慧忠禅师见面，想看看两位绝世大师如何过招。

慧忠禅师很客气地先问太白山人："听说您见多识广，请问您的专长为何？"

太白山人自负地答说："我知山、知地、知人文，无所不知；更精通于算法，算生、算死、算万物，无所不晓。"

慧忠禅师点点头，又问："请问您住的太白山是雄山，还是雌山呢？"

这一句话考倒了太白山人，他满脸通红地不知道该怎么回答，因为自己从没听过山有雌雄之分。

慧忠禅师紧接着指着地面问："再请问您，宫殿的地是什么地呢？"

太白山人知道皇宫的地不能随便乱说，于是紧张地说："我先算一算。"

慧忠禅师笑着说："你别算了，我问你一个字，你答答看！"

慧忠禅师便在地上写了一个"一"字，太白山人一看这么简单，高兴地说："一！"

慧忠禅师大笑："我在土上加一，所以应该是'王'字，怎么会是'一'字呢？"

太白山人难堪得恨不得钻入土里，这时慧忠禅师又开口说："我再问最后一个问题，三七是多少？"

太白山人顺口说："大家都知道三七是二十一。"

慧忠禅师却摇头："三加七是十，怎么会是二十一呢？这么简单的算法，你都不会了，如何算别人的命呢？"

这时在一旁看得过瘾十足的代宗，开心地对众人说："慧忠国师，真是我们的国宝呢！"

下面的大臣们也跟着哈哈大笑起来，连太白山人自己也笑起来，对慧忠禅师的机智更加敬佩，可是大宦官鱼朝恩心里却不这么想："哼！谁是国宝？我才是真正的国宝！"

自以为群臣第一的鱼朝恩，为了不让慧忠禅师专美于前，昂首阔步特地上前向慧忠禅师挑衅说："禅师既然贵为国师，那能不能请您解释佛法所说的'无明[3]'是什么呢？"

自认为相当了解佛法的鱼朝恩，准备好好卖弄自己的学问，顺便羞辱一下慧忠禅师，让大家明白谁才是一国之宝。

慧忠禅师当然听出鱼朝恩话中的敌意，故意对着他说："有人快死的时候，身上露出各种衰相，这时就算他是奴才，也会问起佛法来。"

[3] **无明**：烦恼的别称。无明是一切烦恼的根本，为不明白真理的愚痴。

鱼朝恩听了愤怒不已，没想到羞辱慧忠禅师不成，反而先被他羞辱一番，气得无视于皇帝的存在，当场就要发起飙来，这时慧忠禅师才笑着说：“鱼大人，现在你所表现出来的就是‘无明’！”

这下鱼朝恩虽然气得吹胡子瞪眼睛，却也无可奈何，而慧忠禅师敢于挑战权威、善于表达的口才机智，更深得众人发自内心的敬仰。

我不是小丑!

大师密码

Experienced 经验丰富

北宋的方会禅师从小就活泼好动，喜欢和人开玩笑。虽然他一读书就想打瞌睡，但谈起戏曲立即就眉飞色舞、唱作俱佳起来，可以说是大家的开心果。他也因为知道自己不适合从事文人差事，所以长大后选择做税务的差事，但仍旧觉得自己志不在此，因此闷闷不乐，最后甚至还因为出错丢了差事。

想不到他因祸得福，在失业期间，经过筠州九峰，感觉自己应该走修行的道路，因此就剃度出家了，他的人生从此不再彷徨。但方会出家后，依旧是妙语连珠爱开玩笑，虽然经常让师父拿他没辙，但大家都喜欢幽默能干的方会，对他的管理心服口服。

后来，人缘极佳的方会，应众人所请，到袁州杨岐山普通禅院当了住持，大振禅风，创建了禅宗的杨岐派，还一路弘传到日本。

小档案 方会

- 国籍：中国
- 别称：杨岐方会
- 专长：禅修、财会
- 影响：临济宗杨岐派始祖
- 事迹：以丰富的禅修经验，教导出杨岐派多位高僧

方会拿着一个算盘拨来打去，正仔细计算着寺院这个月的支出，看是否超出了预算。原本他在出家前，是一个管课税的官员，不小心出了点小差错，丢了差事，才出家跟随楚圆禅师学习禅法。

方会不管做什么事，都非常老练能干，所以寺院的行政工作，也都由他一手打理，所有的人都觉得他做得不错，只有楚圆禅师好像不以为意。

方会算好了所有支出，一切都在他的掌握中，因此放心地搁下算盘，心想："师父外出差不多该回来了，去找他问个禅法吧！"

但方会心中又浮现出一个小疙瘩：“我好几次向师父请法，他总是不理睬我，有什么办法可以让他教导我呢？”

也不知道为什么，每次方会向楚圆禅师问法时，楚圆禅师总是顾左右而言他地说：“寺里的事这么多，你还是先把工作做好比较要紧！”

等方会做好了事，再去请教时，楚圆禅师又有别的借口：“哎呀！你不要急嘛！以后你的弟子满天下，那个场面可大得很，你何必急于一时呢？”

听见外面的雨声一阵比一阵大，方会收妥了账本，心底浮现出一个好主意：“不如为师父送把伞去吧！”

于是，方会撑着一把伞，冒着大雨走到寺院门口，寺前有两条路，左边是一条宽敞的长阶，是寺里僧人经常进出的道路；右边则是一条小路，虽然比较狭窄，却是通往山下的小路。

方会凭他老练的经验，心底盘算着：“师父出门时还没下雨，所以他一定不会带伞，现在雨下得这么大，他应该会抄小路回来。”

于是，方会选择走小路，果然走了没多久，就看见师父在雨中狼狈快走的模样。方会赶忙迎上前，用伞为师父遮住风雨，楚圆禅师一看弟子来为他送伞，又惊又喜：“方会是你啊！你怎么知道我会走这里？”

方会回说：“我猜的！”

楚圆禅师点头，对他的聪慧表示赞赏：“你真是厉害！”

方会趁机说：“那请师父今天就为我把禅理说个明白吧！”

楚圆禅师笑说：“你知道有这个事就行了！”

话才说了一半，方会就已经领悟了，回了一句说：“哦！原来是这样。”

楚圆禅师的意思是：就算是开悟了，日常的事也要认真去做，所以知道就好了，不要因此而产生执着。也正因为这样，之前方会去请问禅法时，楚圆禅师才叫他好好做事就行了。

隔天，方会起了个大早，跑到正在吃粥的楚圆禅师面前，叩了一个好响的头：“师父！谢谢您的教诲。”

楚圆禅师却假装听不懂说：“你在说什么啊？”他低头继续吃粥，连看也不看方会一眼，一副昨天什么事都没发生的模样。干练的方会又想到一个好主意，他知道楚圆禅师有一个习惯，每天黄昏都固定要去散步，在山上绕两圈，天黑后才回来。

这一天下午，楚圆禅师正要出门，方会就开始击鼓集众，所有的人因此都聚在禅堂，以为师父有事要公布。楚圆禅师也气喘吁吁地从寺门外跑回来，看着众人不解的表情，便对方会大骂说：“你没事为何击鼓呢？”

方会回说：“升座说法啊！”

老和尚一听更生气了：“你在胡闹什么？我们寺院从什么时候开始，晚上要升座说法来着！是谁定的规矩？”

方会机灵地回应：“有啊！您的师父汾阳禅师就有晚上参禅的习惯，怎会没这规矩？”

楚圆禅师无话可说了，从此以后，晚上也开始升座说法。面对老练的方会，楚圆禅师几番考验，拿他一点儿办法也没有。

不久，方会已能独当一面，他又辗转到杨岐大兴禅风，果然如他师父所料，成为一代宗师，为临济宗杨岐派的开山祖师，而方会仍以一贯的练达，善于洞察弟子的心性和人格特质，给予适当的指导。

有一天，白云守端特地来向方会参学，因为守端在别的老师那里一直得不到开悟，所以想请方会为他点拨一下。

方会一开口便问他："你以前的师父是谁呢？"

守端答说："茶陵郁山主。"

方会点头："哦！原来是大名鼎鼎的茶陵郁山主。我听说他是因为跌了一跤才开悟的，而且还为此写了一首佛偈❶，你知道这件事吗？"

❶ **佛偈**：中国僧侣所写的蕴含佛法但不押韵的诗，四句为一偈。

“我知道！那首佛偈的内容是这样子——”守端把佛偈完整地诵出：“我有明珠一颗，久被尘劳关锁。今朝尘尽光生，照破山河万朵。”

方会听完后，发出了奇怪的笑声：“哈哈——哈——”然后一句话都没说就走了。

留下守端一个人呆愣在原地：“师父这是什么意思？他是在嘲笑茶陵郁山主，摔了一跤也可以开悟吗，还是在称赞他呢？”

方会这一笑，使得守端茶不思、饭不想，脑袋瓜一直在猜测方会禅师的意思：“还是方会禅师觉得那首佛偈写得很差，根本不算开悟，所以才在笑呢？”

守端整个心都被方会禅师的怪笑声给占满了，整夜翻来覆去都睡不好，一早起来挂着两个黑眼圈。他跑去找方会禅师想问个清楚：“您能不能告诉我，为什么您昨天听完茶陵郁山主的佛偈后，笑个不停呢？”

方会禅师反问他：“你昨天下午有没有到寺前，看耍杂技的小丑在表演呢？”

守端回答：“有，我看到了。”

方会禅师又说：“你其实比一个小丑还不如！”

守端疑惑地又问：“为什么您这么说呢？”

方会禅师这才说出答案：“小丑所做的任何动作，都是为了博君一笑，而你却怕别人笑，我不过是笑了一下，你就寝食难安了！为什么要这么在乎别人的眼光呢？就算我是师父又怎样，你应该做自己的主人才是。”经方会禅师这一说，守端终于大彻大悟，原来自己太在乎别人的看法，而开悟却是自己的事。

方会禅师曾譬喻自己像一头只有三只脚的驴，走起路来十分艰难，但他还是抱着丰富的经验，不断地弘扬禅法，带给无数人心灵的启发。

向大海挑战的人

大师密码

Exertion 努力奋发

《西游记》中玄奘的故事闻名世界，他的真实印度旅程虽然一样充满万难，却没有厉害的孙悟空、猪八戒与沙和尚帮忙，而是以惊人的毅力通过一关关生死考验。因此他能启发无数的修行者效法其西行取经，唐朝的义净法师就是其中一位。

义净自十四岁出家后，就想学玄奘取经，但却历经漫长的十七年等待，才终于组成了一个取经团。虽然从广州出海的前一刻，全团人突然临阵怯步，不愿意一起去印度，最终义净还是勇敢地挑战了这场未知的印度旅程。

义净在那烂陀寺苦学十年，在室利佛逝国（今苏门答腊）游学七年，在游历三十多国后，满载四百部印度经论与舍利三百粒，光荣返回洛阳，不但写下脍炙人口的行旅见闻《南海寄归传》，更与鸠摩罗什、真谛、玄奘并列为中国佛教四大译经家。

小档案 义净

- 国籍：中国
- 名字：张文明
- 专长：译经
- 影响：中国佛教四大译经家之一
- 事迹：突破万难前往印度取经

一支印度取经团千里迢迢从北方来到南方的广州，准备渡海到印度游学。带队的是一名三十七岁的僧人义净，为了组成这一个取经团，义净花了十七年的时间，终于邀齐了几十位团员，现在他们站在广州的海边，等待几天后入港的一艘波斯商船，载他们从南洋转往印度。

这群从没见过大海的北方人，一看到波涛汹涌的大海全都傻眼了，同行中最小的沙弥❶善行大声惊呼说：“义净师父，原来这就是大海啊！”

有人嚷说：“这海看起来真是太恐怖了，大到无边无际，好像一口就能把人吞没了。”

❶ **沙弥**：指佛教僧团中，尚未受完整戒律，年龄在七岁以上、未满二十岁的出家男子。

一到广州就生病了的玄逵法师，被海风吹得鼻涕直流，虚脱得好像要被风吹走了，他说：“我一看到大海，头更晕了！”

一旁扶着他的处一说：“你还没上船就先晕船，这还得了？”

一群人你一言我一语的，心中满怀恐惧，只有义净一人默默无语，看着大海，想起小时候立下赴印度求法的心愿。

“爹，讲玄奘❷到西方取经的故事给我听嘛！”还是孩子的义净，躺在床上，央求父亲在睡前为他说一个故事。

父亲和蔼地说：“你不是听过了吗？”

义净露出渴望的眼神：“可是我想再听一次。”

父亲点头答应，开始说起故事：“玄奘是我们唐朝的高僧……”

义净边听边问父亲：“我长大后也要去西方取经，您说好不好？”

父亲回答：“那你一定要努力！”

❷ **玄奘**：唐代高僧，世称唐三藏，因为他精通佛教的经、律、论三藏，并熟知所有佛典。他是中国非常杰出的译经家，也是唯识宗的创始人。

义净开心地说："我会的！"在玄奘故事的陪伴下，小义净慢慢进入梦乡。

义净十四岁时，果然出家当了沙弥，为了能像玄奘一样到西方取经，他奋发勤学，遍读古今中外经典，并向许多名师请益。而且，他还发现了一件事："为什么在中国流传的佛典中，有关戒律的译作最少呢？"

这个发现更加深他想去印度进修的决心："我要认真学习梵文，以后到印度将戒律经典带回中国。"

现在好不容易就要出发前往印度了，可是义净万万没想到，他辛苦奔走多年，跑遍大江南北召集的这些同伴，竟然要弃他而去，因为他们对这趟大海的航行实在没有把握。

玄逵率先向义净表态：“我病得太厉害了，实在无法去印度，万一死在大海上，你也对不起我。”

处一也开口：“玄逵需要有人照顾，我陪他去就医。”

义净只好说：“那你们就先回去吧！”

大家得知玄逵和处一可以回去，也都开始打退堂鼓。义净不想勉强大家，便把旅费平分给众人，准备独自前往。

当他把钱交给善行时，善行疑惑地问：“师父为何给我钱呢？”

义净回答：“这样你才有旅费回家啊！”

善行却说：“可是我没说我要回家，我是您的弟子，师父去哪里，我就去哪里。”

义净听后感动得热泪盈眶，后来师徒俩顺利搭上开往南洋的波斯商船。想到旅行团虽然一哄而散，但自己还是如愿地前往印度，义净不禁激动不已。

由于不堪晕船之苦，义净师徒先在室利佛逝国下了船，在国王的帮助下，他们先到了末罗瑜国，再转往印度。可是水土不服的善行，经过海上颠簸后，终于支撑不住病倒了，义净不忍心地说：“你先回中国把身体养好吧，我自己一人去印度就行了！”

善行落下泪来：“师父，我没办法再陪伴您了，但请您一定要达成取经的心愿。”

师徒二人伤心告别后，义净跟着船只抵达梦想中的印度，他幸运地遇上了一位从小在印度长大的中国僧人大乘灯上人，大乘灯上人听义净说完赴印的艰辛旅程后，不禁称赞道：“我以前也去过唐朝，跟随过玄奘法师一段时间，你的努力奋发精神，简直和玄奘不分上下！”

义净谦虚地说："如能到印度取得戒律经典，再辛苦也是值得的。"

大乘灯上人趁机邀请他："你就和我的僧团一起跟着商队到那烂陀寺吧！那里一定有你要找的佛教经典。"

义净便跟着大乘灯上人等二十几名僧人，随商队一起西行。路上泥泞难走，还要经过许多盗匪出没的险峻之地，更不巧的是他也生病了，步履蹒跚地落在队伍的最后，因为怕拖累队伍，他没有跟大乘灯上人说一声，自己一人离队慢行了。

就在空旷的荒野中，突然出现一伙强盗，对着义净挥舞着利刀："把你身上的财物，统统交出来。"

义净病恹恹地说："我是个僧人，身上连一文钱也没有。"

强盗们一拥而上，搜遍义净的全身上下，发现真的没有任何钱财，气得把他身上的衣服全扒光了："没钱，你就去祭天神好了！"

原来依照当地的习俗，长得白白净净的人要被抓去杀了祭拜天神。全身光溜溜的义净心想："我还要去那烂陀寺取经呢！怎么可以死在这里？"

义净不顾病体，赶紧跳到地上的泥坑里，把全身涂满脏泥，让自己变成一个脏兮兮的泥人，随后躲进树丛中。直到天黑时，才走到前面的村庄里。

这时，义净看见大乘灯上人提着灯笼，并一路叫喊："义净，你在哪里？"

义净赶紧回应："我在这里！"大乘灯上人见到他时吓了一跳，知道义净遇上了抢匪，赶紧取水帮他洗干净，并拿衣服让他穿上。

历经无数险难后，义净终于来到那烂陀寺，他在印度全力收集经典，也学到了高深的佛学。历经二十多年后，义净载誉归国，回到洛阳时，武则天还亲自到东门迎接。在武则天的支持下，义净展开译经事业，被誉为中国佛教四大翻译家之一。

女皇帝与大法师

大师密码 Extraordinary 非凡

所谓“伴君如伴虎”，但唐朝的法藏大师一生历经唐太宗、高宗、武则天、中宗、睿宗与玄宗六代帝王，不但深受多位帝王敬重，而且还建立了中国八大宗的华严宗。

法藏大师出生于康居国，他的高祖、曾祖都位居康居国的宰相，后来祖父迁居到长安，也在唐朝担任要职。因为官宦世家的背景，让法藏从小就见识非凡、博学多闻，精通梵文、汉语，表达力一流，奠定了法藏成为一代大译经家的雄厚基础。

法藏大师一生致力于建立华严宗思想体系，虽然华严宗思想博大精深，不易解说，他却能巧以金狮子为喻，让女皇帝武则天了解华严奥妙。在武则天的大力支持下，华严学说从此在中国佛教的发展气势，就像威猛的金狮子锐不可当。

小档案 法藏

- 国籍：中国
- 别称：香象大师
- 专长：佛学研究、书法
- 影响：为华严宗三祖
- 事迹：以非凡智慧，创立华严宗思想体系

智俨师父一直在找一位真正的传人，但他一直未曾找到。

“咚——咚——，当——！”

寺院的钟鼓声，隆重地响起，正式开启长安云华寺的《华严经》说法法会，一时间冠盖云集，从四面八方涌来的僧众和名人贵族，不约而同赶来参加这一场盛会。

法座上的住持智俨法师行云流水一般，为大众详细讲解了《华严经》的内容，受众中有一名外国长相的年轻人，正仔细聆听着智俨师父所说的每一句话，脸上流露出赞叹的神情。

法会快结束时，智俨师父请大家提出问题，可是大家你看看我、我看看你，却没有人敢举手，因为大家第一次听到这个法，其实也没听懂多少。

这时一位年轻人举手了，在法会的过程中，智俨法师注意到这名青年始终全神贯注地听自己说法，他也很想知道这个年轻人会提出什么样的问题，便说：“这位年轻朋友，请问吧！”

结果年轻人一开口就问了好几个特别的问题，智俨法师一听心底沉了一下，因为他所提出的问题，根本不像是第一次听《华严经》的人会问的，有几个地方还差点把智俨师父考倒，幸好智俨法师钻研《华严经》很久了，所以他的回答也让对方口服心服。

会后，众人纷纷离去，智俨师父特地叫住提问的年轻人，好奇地问他：“你好像不是本国人？请问大名是——”

年轻人恭敬地回答：“我叫法藏，原本是康居国人，后来祖父迁居到长安，父亲也在朝廷为官。之前我曾经修习佛法，也去过玄奘大师的译场帮忙译经，所以算是半个佛门中人。”

一直在寻找《华严经》传人的智俨师父，深觉法藏的资质非凡，应该是最好的人选了，便向他提议：“你喜欢《华严经》吗，我把它传授给你好不好？”

法藏听了展开了笑容，欣然同意：“感谢师父的厚爱。”

于是，在智俨师父悉心教导下，前后九年时光，法藏已学得智俨法师的毕生绝学，可惜智俨师父不久就过世了，临终前还跟两位大弟子道成和薄尘嘱咐：“法藏是我的接班人，一定要想办法让他出家。”

唐朝的僧人享有很高的社会地位，剃度 ❶ 必须经过朝廷的同意，不能随便自行出家，所以法藏至今还是个居士。道成和薄尘为了实践师父最后的遗命，一直想尽办法要让法藏能够顺利出家。

这一天，道成兴冲冲地从外头跑进来，满头大汗，薄尘和法藏奇怪地问他说："什么事，怎么急成这样？"

道成回说："武则天娘娘的母亲前几天过世了，听说她为了纪念亡母，要把母亲的居所改建为太原寺，还要举办一场隆重的剃度法会。"

薄尘瞪大眼睛说："这样法藏就有机会出家了！"

道成笑答："是啊！"

法藏更是高兴万分："我一定要弘扬《华严经》，不辜负师父对我的期待。"

❶ **剃度**：为剃除须发被度出家的一种仪式。

就这样，道成、薄尘和一些当代名僧，一起联名推荐法藏。武则天也听说法藏是个非凡之辈，对《华严经》的了解无人能及，除了让他剃度外，还请他担任太原寺的住持。从到太原寺当住持的那一刻起，法藏就开始每天讲说《华严经》，没有一日懈怠。

法藏所读的《华严经》，是东晋时佛陀跋陀罗的译本，只是《华严经》的一部分而已，当法藏得知印度高僧日照又带了一部分梵文本《华严经》来中国时，他赶紧请日照大师到太原寺，和道成、薄尘一起帮忙翻译出来，只可惜译出的版本也并不完整。

当武则天召见法藏时，法藏趁机请命说："旧版《华严经》实在有太多疏漏的地方，而新译的经文也不够完整，能否派人到西域将详尽的经文带回中国呢？这可是史上一大功绩呢！"

笃信佛教的武则天欣然同意了："大师您放心，我一定会派使者去取经的。"

武则天称帝后，果然派使者到于阗国取经，还请回于阗国的高僧实叉难陀来洛阳主持译经工作，就在法藏、义净、菩提流志等众僧的同心协力下，费时五年，终于译出新版的《华严经》。而法藏为求尽善尽美，不辞辛苦，独自又将新旧版本对照梵文，重新校勘一遍，补足遗漏的部分，还将语句润饰得更加优美通顺。

法藏从此全心推广新《华严经》。有一次，他奉武则天的命令，在佛授记寺讲解新《华严经》，当底下的僧众正听得入神，被法藏精辟的解说所吸引时，突然一阵天摇地动，不但整个寺宇震动不停，连屋瓦也都飞落，桌椅纷纷倒下，大伙儿惊吓得大喊逃命："地震来了！快逃啊！"

这时，法座上的法藏仍然纹丝不动，他镇定地端坐在位子上，安抚众人说：“各位！请不要慌乱，待在原处，不会有事的！”

果然，不久地震就停了。法藏笑着对众人说：“各位，你们真是有福分啊！”

所有人心里都觉得奇怪：“师父怎么会这么说呢？遇上地震算是什么福分？”

法藏接着解释：“佛经上曾如此记载，当佛说法时，常有六种震动的奇迹出现。今天我们在讲新《华严经》时，就显现这样的地震奇迹，可见连整个天地都在赞叹这一部殊胜难得的经典，而各位能够恭逢其盛，一定是有福分的人才能有这样的机缘啊！”

大家听后都非常欢喜，更加专心地听法，细心去体会《华严经》玄奥的妙法。武则天知道这件事后，也十分开心，下令嘉奖法藏对《华严经》的贡献。

法藏不但促成新版的《华严经》翻译工程，顺利将完整的《华严经》传至中国。他更费尽多年心思，以新《华严经》为基础，架构出一套严谨的华严理论，成功地创立了华严宗，不但内容丰富，其思想义理更达到了中国佛教的顶峰，成为当时中国佛教的第一大教派，展现出法藏非凡的卓见。